BLA BLA SEKS

600 ZINLOZE FEITEN OVER

Colofon

ISBN: 978 90 57672 91 0
NUR: 370 / 372

Bla bla seks is een uitgave van mo'media bv, postbus 3936,
4800 dx breda, info@momedia.nl, www.momedia.nl. Deze uitgave is met
de grootst mogelijke zorg samengesteld. Voor eventuele onjuistheden in de
tekst zijn zowel mo'media als de auteurs niet aansprakelijk. Alle informatie
komt rechtstreeks van deskundigen, maar we garanderen niet dat deze
compleet is of juist. Reacties kunt u richten aan bovenstaand adres.

Auteurs: Fredrik Colting & Carl-Johan Gadd
Nederlandse vertaling: Renske Groeneveld
Omslagontwerp: Johan Andersson
Grafische vormgeving: MasterColors MediaFactory, Eindhoven
Eindredactie: Edith Smulders
Projectleiding: Eline Timmermans mo'media bv

First published under the title *Bla bla sex* in 2007 by Nicotext.
Published by arrangement with Lennart Sane Agency AB.

Zinloze feiten over seks

Een man heeft tijdens zijn leven gemiddeld 7200 zaadlozingen.

De hoeveelheid sperma per zaadlozing: 1-2 theelepels.

In 1995 tilde Mo Ka Wang, een Chi Kung-meester in Hongkong, met zijn erectie ruim 100 kilo 30 centimeter van de grond.

Zinloze feiten over seks

Op het eiland Guam zijn er mannen die beroepsmatig rondreizen om jonge vrouwen te ontmaagden. De vrouwen zijn ook nog eens bereid om te betalen voor het privilege om voor het eerst seks te kunnen hebben. De reden: op Guam mogen vrouwen volgens de wet niet als maagd trouwen.

Een wet in Fairbanks, Alaska, verbiedt het elanden om in de bebouwde kom te paren.

Zinloze feiten over seks

In Ventura County, Californië, mogen honden en katten niet zonder vergunning paren.

Als een man opgewonden is, kunnen zijn testikels 50 procent in volume toenemen.

De gemiddelde man ziet per dag vijf vrouwen met wie hij naar bed zou willen.

Zinloze feiten over seks

In Hongkong heeft een bedrogen vrouw wettelijk het recht om haar man te doden, maar alleen als ze dat met haar blote handen doet. Degene met wie de echtgenoot overspel heeft gepleegd, mag op elke manier om het leven worden gebracht.

Volgens het tijdschrift Playboy is erotische lectuur het populairste seksuele stimuleringsmiddel. (Geen wonder dat ze dat beweren, want ze willen natuurlijk meer tijdschriften verkopen.)

Zinloze feiten over seks

Het woord vanille komt van het Latijnse woord vagina. Dat komt doordat vanillestokjes op de vrouwelijke genitaliën lijken.

Als een man zegt dat zijn ballen blauw zijn en zullen ontploffen als hij geen seks heeft, is dat totale onzin.

Zwarte vrouwen hebben tijdens seks 50 procent meer kans op een orgasme dan blanke vrouwen.

Zinloze feiten over seks

Nertsen paren gemiddeld acht uur achter elkaar.

Elk jaar sterven tussen de 250 en 1000 mensen aan auto-erotische asfyxiatie (tijdelijke verstikking of verwurging tijdens het masturberen).

De eerste niet-pornografische film die in Amerika alleen door volwassenen mocht worden bekeken, was Midnight Cowboy.

Zinloze feiten over seks

Een diepbedroefde Engelsman, Chris Taylor, moest uit de snavel van zijn papegaai horen dat zijn vriendin hem bedroog. Telkens wanneer het mobieltje van zijn vriendin Suzy Collins overging, krijste zijn papegaai Ziggy: 'Hoi Gary!'

De Afrikaanse grijze roodstaartpapegaai maakte ook elke keer kusgeluidjes als hij de naam Gary op de radio of televisie hoorde. Eerst moest computerprogrammeur Chris erom lachen en dacht hij dat het dier gewoon iets van de televisie had opgepikt. Maar toen hij in hun flat in Leeds gezellig naast Suzy op de bank kroop, wist hij dat er iets mis was toen Ziggy Suzy's stem imiteerde en riep: 'Ik hou van je, Gary.'

De vijfentwintigjarige Suzy, die voor een callcenter werkte, barstte in tranen uit en bekende dat ze al vier maanden een verhouding had met een voormalige collega. Ze had hem in de flat ontvangen, waardoor Ziggy getuige was geweest van hun ontmoetingen. Haar bekentenis maakte een einde aan de relatie tussen Suzy en Chris, die twee jaar had geduurd. Chris Taylor deed zelfs zijn papegaai weg, omdat het dier steeds de naam van Suzy's minnaar bleef roepen.

Chris liet geen traan om de overspelige Suzy, maar hij had erg veel verdriet om zijn achtjarige papegaai, omdat hij Ziggy als jong vogeltje had gekocht.

'Ik ben tegelijkertijd mijn vriendin en mijn beste vriendje kwijtgeraakt, maar het was onverdraaglijk om hem steeds de naam van die Gary te horen roepen,' zei hij. Chris had de papegaai naar Ziggy Stardust vernoemd, het alter ego van David Bowie. De pagegaai had geleerd om de zin 'put on your red shoes and dance the blues!' uit Bowies liedje Let's Dance na te doen.

Dankzij een plaatselijke papegaaienhandelaar heeft Ziggy een nieuwe baas gekregen.

Zinloze feiten over seks

Het Engelse woord dork betekent walvispenis. Zoals wel te verwachten viel, hebben walvissen de grootste penissen ter wereld. De blauwe vinvis heeft de allergrootste: bijna 3,5 meter met een doorsnee van 30 centimeter.

Tijdens zijn leven heeft een man gemiddeld 2000 keer een zaadlozing door masturbatie.

De grootste menselijke vagina was van een vrouw die twee meter dertig lang was.

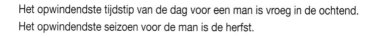

Zinloze feiten over seks

Het opwindendste tijdstip van de dag voor een man is vroeg in de ochtend. Het opwindendste seizoen voor de man is de herfst.

In Florida is het voor vrouwen die single, gescheiden of weduwe zijn verboden om op zondagmiddag aan parachutespringen te doen.

Zinloze feiten over seks

Tijdens het bierfestival van München werden een verpleegkundige en twee cameramannen gearresteerd omdat ze in het beroemde reuzenrad van de stad een pornofilm maakten.

De eenentwintigjarige verpleegkundige en de twee cameramannen werden betrapt door drie Italiaanse toeristen, die hen vanuit een ander karretje seksuele handelingen zagen filmen. De toeristen waarschuwden onmiddellijk de autoriteiten, die de pornoactrice en de filmmakers oppakten.

De politie van München verklaarde: 'Het trio werd in het karretje gesignaleerd met filmapparatuur. De vrouw van eenentwintig trok plotseling haar kleren uit en pakte een seksspeeltje, dat ze begon te gebruiken terwijl de andere twee haar filmden.' Het drietal is beschuldigd van onzedelijkheid in het openbaar.

Zinloze feiten over seks

In de film 8 mm wordt verslag gedaan van snuffing, de illegale pornofetisj om een partner na de seksdaad om te brengen.

Een wet in Montevideo, Uruguay, verbiedt het mannen om seks te hebben met menstruerende vrouwen.

72 procent van de mannen geeft toe dat ze wel eens over collega's fantaseren.

Zinloze feiten over seks

Gemiddeld hebben mensen over de hele wereld voor het eerst seks als ze 17,3 jaar zijn.

Iets meer dan een derde (35 procent) zegt dat ze jonger dan zestien waren toen ze hun maagdelijkheid verloren.

Jongeren beginnen steeds vroeger aan seks: de leeftijdsgroep van 25-34 jaar was bij de eerste keer 17,9 jaar, de groep van 21-24 jaar was 17,5, en de groep van 16-20 jaar was nog maar 16,3.

Zinloze feiten over seks

Dankzij ons informatietijdperk is voyeurisme de fetisj die het meest aan populariteit heeft gewonnen.

De eerste die pornografie publiceerde, was de achttiende-eeuwse Franse aristocraat en schrijver Markies de Sade.

Als je het opwindend vindt om je partner te bekliederen met vochtig eten, houd je van de fetisj splosh.

Van alle primaten heeft de mens naar verhouding de grootste penis. Er is geen biologische reden waarom de mens zo'n buitensporig groot en dik geslachtsorgaan moet hebben. Een dunnere penis zou een vrouw net zo makkelijk kunnen bevruchten.

Men neemt aan dat de mannelijke penis zo groot is geworden omdat vrouwen hem zo lekker vonden. Door met welgeschapen mannen te vrijen, hebben vrouwen onbewust bijgedragen aan de ontwikkeling van mannen met grote penissen. Door de evolutie heen heeft de grote penis het (tot groot genoegen van de vrouwen) van de kleinere gewonnen.

Zinloze feiten over seks

De beste manier om in bed beter te presteren: stoppen met roken, aan sport gaan doen en afvallen.

Het is in de Verenigde Staten overal verboden om seks met een lijk te hebben.

Het woord gymnasium komt van het Griekse woord gymnasión, wat naakt sporten betekent. In het oude Griekenland werd vaak sport beoefend zonder kleren aan.

Zinloze feiten over seks

Op Sicilië vroeg een man een vriend om hem in zijn kruis te schieten, in de hoop dat zijn ex-vriendin medelijden met hem zou krijgen. De politie van het Siciliaanse plaatsje Piazza Armerina kreeg argwaan toen de zevenentwintigjarige man met hagel in zijn kruis in het ziekenhuis werd opgenomen.

Eerst zei de man dat hij zijn verwondingen bij een jachtongeluk had opgelopen, maar later bekende hij dat hij een zestienjarige vriend had gevraagd hem met een jachtgeweer neer te schieten. Daarmee wilde hij de liefde van zijn ex terugwinnen, die hem vanwege zijn gewelddadige karakter had verlaten. De artsen zeiden dat de man waarschijnlijk wel van zijn verwondingen zal herstellen.

De man en de zestienjarige jongen werden wegens de schietpartij gearresteerd. Volgens plaatselijke berichten heeft de ex-vriendin van de man gezegd dat ze hem nooit meer wil zien.

Zinloze feiten over seks

Een kapoen is een gecastreerde haan. Kapoenen kosten meer dan gewone hanen, omdat hun vlees malser schijnt te zijn als ze worden bereid.

In Maryland mogen geen condoomautomaten worden neergezet, met uitzondering van 'plaatsen waar alcoholische dranken worden verkocht die in het pand moeten worden geconsumeerd'.

Zinloze feiten over seks

Tot 1984 kon een vrouw in de Verenigde Staten gevangenisstraf krijgen als ze weigerde met haar man te vrijen.

De tijd die een man na een erectie nodig heeft om een volgende erectie te krijgen, varieert van twee minuten tot twee weken.

Zinloze feiten over seks

Vrouwen zijn eerder seksueel actief dan mannen: zij zijn gemiddeld 17,2 jaar, mannen 17,5 jaar.

In IJsland beginnen de mensen het vroegst aan seks: 15,6 jaar. De IJslanders worden op de voet gevolgd door de Duitsers (15,9 jaar), de Zweden (16,1 jaar) en de Denen (16,1 jaar).

In India zijn de mensen het oudst als ze hun maagdelijkheid verliezen: 19,8 jaar. Zij worden gevolgd door de Vietnamezen (19,6 jaar), de Indonesiërs (19,1 jaar) en de Maleisiërs (19 jaar).

Zinloze feiten over seks

De vrouwelijke bidsprinkhaan eet haar partner na het paren op. Tijdens het paren slaat ze haar armen om het mannetje heen om hem stevig vast te houden en begint al aan hem te knabbelen. De seksdrift van het mannetje is zo groot dat hij kan blijven copuleren als zijn partner aan hem vreet.

Ecouteurisme is zonder toestemming naar anderen luisteren terwijl ze seks hebben.

Zinloze feiten over seks

In New York State is een man gearresteerd omdat hij tijdens het rijden in zijn auto naar een pornofilm keek. Een politieman in een burgerauto zag Mr. Gainey in de buurt van het politiebureau in zijn auto naar een pornofilm op een dvd-scherm kijken.

De politieman zei dat iedereen kon zien wat Gainey deed, ook mensen die op de stoep liepen. Stel dat er een gezin met kleine kinderen achter hem reed!

Toen de politieman Gainey arresteerde, werd hij gearresteerd wegens het kijken naar een film tijdens het rijden, het openbaar tonen van onzedelijk materiaal en rijden terwijl zijn rijbewijs was ingetrokken.

Zinloze feiten over seks

In Shakespeares tijd stopte een wellustige vrouw een appel onder haar oksel om die later aan de man te geven op wie ze haar zinnen had gezet. De met feromonen doordrenkte liefdesappel zou begeerte opwekken, net zoals de muskuselementen (die op onze natuurlijke feromonen lijken) dat doen in de parfums die nu te koop zijn.

Een zaadlozing heeft een kracht van 47,3 kilometer per uur. Ter vergelijking: het wereldrecord voor de honderd meter sprint is omgerekend 45,8 kilometer per uur.

Zinloze feiten over seks

In het oude Babylon was men ervan overtuigd dat je impotentie kon genezen door het hart van een mannelijke patrijs te eten.

In Sioux Falls, Dakota, zijn hotels verplicht om twee aparte bedden in hun kamers te zetten. Er moet minimaal 60 centimeter ruimte tussen de bedden zijn, en het is stellen verboden om op de grond tussen de twee bedden te vrijen.

Het orgasme van een varken duurt ongeveer 30 minuten.

Zinloze feiten over seks

De man van Linda Lovelace kreeg 1250 dollar voor haar rol in Deep Throat.

Formicofilie betekent dat je het prettig vindt om insecten voor seksuele doeleinden te gebruiken.

Een oester is doorgaans tweeslachtig. Hij begint zijn leven mannelijk, wordt vervolgens vrouwelijk, verandert weer in een mannelijk dier en vervolgens weer in een vrouwelijk. Dat kan zo vele malen doorgaan.

Zinloze feiten over seks

In de Nederlandse plaats Montfoort vonden kinderen honderden dode kikkers in een vijver. Volgens kikkerexpert H. van Buggenum van de plaatselijke milieuorganisatie hadden de dieren zich doodgepaard. Elk jaar trekken kikkers en padden – gedreven door hun hormonen – naar zogeheten paarvijvers. De mannelijke kikkers en padden kruipen dan in groepjes op een vrouwtje, dat onder water belandt of onder het gewicht van de enthousiaste mannetjes wordt gesmoord. De mannelijke kikkers gaan ook dood, maar dan onderweg naar de vijver. Ze worden onder de voet gelopen door hun hevig opgewonden soortgenoten.

Elk jaar gaan er in een paarvijver wel 100 padden en kikkers dood. 'Dat is normaal, maar in deze vijver waren het er honderden! Dat is vrij uniek,' zegt van Buggenum.

Zinloze feiten over seks

Plushofilie betekent dat je je aangetrokken voelt tot knuffelbeesten of er seks mee hebt.

Volgens een rapport van Kinsey ejaculeert 75 procent van de mannen binnen drie minuten na penetratie.

De gemiddelde lengte van een slappe penis: 8,8 centimeter.

Zinloze feiten over seks

Als een politieagent in Coeur d'Alene, Idaho, vermoedt dat een stel de liefde in een voertuig bedrijft, moet hij drie keer toeteren en twee minuten wachten voordat hij het voertuig mag naderen.

De eerste Amerikaanse condooms werden rond 1890 gemaakt van gevulkaniseerd rubber. Ze waren duur, irritant dik en bedoeld voor hergebruik.

Pornoster Asia Carrera gaat prat op een IQ van boven de 150.

Zinloze feiten over seks

Een latexfetisj betekent dat je je graag in het huidnauwe materiaal kleedt.

De kleinste volwassen vagina was twee centimeter groot en moest operatief worden gecorrigeerd.

De Romeinse keizer Nero liet jonge jongens kleren van zijn dode echtgenote aantrekken en ging met hen naar bed.

Zinloze feiten over seks

Een mannenpenis krimpt niet alleen bij kou, maar ook bij niet-seksuele opwinding, bijvoorbeeld wanneer zijn favoriete voetbalteam een doelpunt maakt.

In de zestiende eeuw werd het onder aristocratische dames chic gevonden om je schaamhaar zo lang mogelijk te laten groeien, zodat er pommade, linten en strikjes in konden worden gedaan.

Zinloze feiten over seks

Het woord avocado komt van het Spaanse woord aguacate, dat weer is afgeleid van het Azteekse woord ahuacati, dat testikel betekent.

De Kama Sutra is geschreven door Mallanga Vatsyayana, die naar verluidt celibatair leefde.

60 procent van de mannen zegt te masturberen.

Zinloze feiten over seks

Een gezonde man kan per dag 70 miljoen zaadcellen produceren. Dat is evenveel als een cavia.

Volgens een wet in Oblong, Illinois, is het strafbaar om tijdens het vissen of jagen op je trouwdag te vrijen.

Zinloze feiten over seks

Een dronken Thaise man werd een paar keer gebeten toen hij een onwillige hond probeerde te verkrachten. De politie zei dat de drieëndertigjarige man vóór het incident met zijn vrienden stevig had gedronken.

De man werd aangehouden toen omwonenden op straat een bloedende man zagen lopen en de politie belden.

Na ondervraging vertelde de man dat hij een bruin zwerfhondje had zien kwispelen en dat het teefje zich sexy gedroeg.

Toen hij de hond het hoge gras langs de weg in wilde trekken, stribbelde het dier tegen en beet hem in zijn gezicht, borst en armen. Toen de aanval ophield, probeerde de man naar huis te wankelen.

Hij bekende aan de politie dat hij in dronken toestand eerder drie andere honden had verkracht.

Hij vertelde dat stevig drinken hem opwond, maar dat hij geen geld had om naar een prostituee te gaan.

Zinloze feiten over seks

The Private Pleasures of John Holmes is de enige speelfilm waarin pornoacteur John Holmes seks heeft met een man.

Adolf Hitler schijnt coprofiel te zijn geweest, wat betekent dat hij een fetisj voor vrouwelijke uitwerpselen had. Hij vond het ook prettig als vrouwen op hem plasten.

De grootse penis in het dierenrijk is te vinden bij de blauwe vinvis: 3,5 meter. Dat is de afstand tussen de grond en de rand van een basketbalring.

Nasofilie verwijst naar opwinding door het aanraken, zien of likken van je partners neus.

De langste clitoris: 11,3 centimeter lang en 3,8 centimeter doorsnee

De missionarishouding was bij de oude Romeinen de favoriete seksuele positie. Bij moderne Europeanen trouwens ook.

Zinloze feiten over seks

Gemiddeld hebben mensen tussen hun twintigste en zeventigste levensjaar 600 uur seks. Een enquête in het tijdschrift Cosmopolitan wees uit dat voorspel bij echtparen gemiddeld tussen de veertien en zeventien minuten duurt, en dat de man doorgaan zes minuten na het begin van de copulatie klaarkomt.

Elk jaar lopen 11.000 Amerikanen verwondingen op omdat ze bizarre seksuele posities uitproberen.

Zinloze feiten over seks

Tijdens de Middeleeuwen dacht men dat het beter was als vrouwen niet klaarkwamen, omdat een orgasme hen minder vruchtbaar zou maken.

In Indiana en Ohio is het mannelijke schaatstrainers verboden om seks met hun vrouwelijke pupillen te hebben. Deze misstap, 'verleiding van vrouwelijke leerlingen', is strafbaar. Blijkbaar geldt deze regel alleen voor mannelijke docenten; vrouwelijke schaatstrainers schijnen wel seks te mogen hebben met mannelijke pupillen.

Zinloze feiten over seks

Over de hele wereld gezien hebben mensen gemiddeld negen sekspartners.

Mannen hebben meer sekspartners dan vrouwen: gemiddeld 10,2 tegen 6,9.

De Turken hebben gemiddeld de meeste partners gehad (14,5), daarna komen de Australiërs (13,3), Nieuw-Zeelanders (13,2) en IJslanders (13).

Indiërs hebben de minste partners (3), net wat minder dan de Chinezen (3,1), Vietnamezen (3,2) en inwoners van Hongkong (3,7).

Bijna tweederde van de inwoners van Hongkong (65 procent) heeft slechts één seksuele partner gehad. De inwoners van Denemarken, Noorwegen, Zweden en Griekenland allemaal twaalf.

Zinloze feiten over seks

Voedingsmiddelen die de seksprestaties stimuleren: oesters, mager vlees, zeebanket, granen en tarwekiemen.

Ongeveer één procent van de volwassen vrouwen kan al een orgasme krijgen als haar borsten worden gestimuleerd.

Het woord pornografie is een combinatie van twee Griekse woorden: pornè, prostituee, en graphein, dat schrijven betekent.

Zinloze feiten over seks

Een onderzoek van Masters en Johnson wees begin jaren tachtig uit dat de op twee na populairste fantasie bij homoseksuele mannen en vrouwen bestond uit een heteroseksueel contact.

In de Kama Sutra worden technieken beschreven voor tien verschillende soorten kussen, 64 verschillende strelingen, acht variaties op orale seks en 84 houdingen voor geslachtsgemeenschap. Al met al worden 529 seksuele posities beschreven.

Zinloze feiten over seks

Marilyn Monroe, het beroemdste seksicoon van de twintigste eeuw, bekende aan een vriendin dat ze ondanks drie echtgenoten en talloze minnaars nog nooit een orgasme had gehad.

Timmie Jean Lindsey uit Houston, Texas, was in 1962 de eerste vrouw die siliconenborsten kreeg.

Femme domme: een vrouw die haar partners domineert.

Zinloze feiten over seks

Australische wetenschappers hebben ontdekt welk deel van de hersenen zorgt dat mensen zich seksueel tot elkaar aangetrokken voelen. Ze hebben ook ontdekt dat mensen sneller en heviger opgewonden raken naarmate dat deel van de hersenen groter is.

De onderzoekers, een groep neurofysiologen van de universiteit van Melbourne, zeggen dat de mate van opwinding afhangt van de activiteit van een deel van het brein dat amygdala heet. Dit deel van de hersenen heeft het formaat van een amandel. Wanneer we seksuele prikkels voelen, reageert de amygdala sneller dan alle andere delen van onze hersenen.

Voordat de onderzoekers dit ontdekten, werd al aangenomen dat de amygdala verantwoordelijk was voor de aantrekkingskracht tussen dieren.

Ze onderzochten vijfenveertig mensen met epilepsie, bij wie een deel van het brein, ook de amygdala, niet werkte. Uit dat onderzoek bleek dat de amygdala een grote rol speelt bij onze seksuele ervaringen. Hoe groter de amygdala, hoe groter de seksuele lust. Mensen met een slecht werkende amygdala waren nauwelijks geïnteresseerd in seks.

Zinloze feiten over seks

Orale seks bij een vrouw heet cunnilingus. Orale seks bij een man heet fellatio.

46 procent van alle mannen beweert nooit vreemd te zijn gegaan.

In Bozeman, Montana, is het verboden om na zonsondergang naakt in de voortuin van een huis seksuele handelingen te verrichten.

Zinloze feiten over seks

Het kost een zaadcel tweeëneenhalve seconde om zeven tot tien centimeter door de menselijke vagina te reizen en een eicel te bevruchten. (Gemiddeld heeft iemand vier uur nodig om een marathon uit te lopen.)

Endytofilie: het verlangen om tijdens het vrijen de kleren aan te houden.

Als Don Juan steekt het konijn schraal af bij de woestijnrat, die 120 keer per uur seks kan hebben.

Zinloze feiten over seks

Een wet in Helena, Montana, zegt dat een vrouw niet op een tafel in een bar mag dansen als haar kleding minder dan 1300 gram weegt.

Lang geleden waren vrouwen in Tibet wettelijk verplicht om zich te prostitueren. Dit werd gezien als een manier om vóór het huwelijk seksuele ervaringen op te doen.

Wie last heeft van dishabiliofobie is bang om zich voor anderen uit te kleden.

Zinloze feiten over seks

Keizerin Wu Hu uit de T'ang-dynastie vaardigde een speciale wet over orale seks uit. Als een vrouw een man oraal bevredigde, stond dat volgens de keizerin symbool voor de mannelijke suprematie over de vrouw. Daarom eiste ze van elke mannelijke hoogwaardigheidsbekleder die op bezoek kwam dat hij zijn respect toonde door haar oraal te bevredigen. De keizerin hield haar gewaad open en haar gast moest voor haar knielen en haar genitaliën kussen.

Uit een recent onderzoek onder vrouwen die tijdens seks vibrators gebruiken, bleek dat acht op de tien vrouwen de vibrator niet inbrachten, maar buiten hun lichaam tegen hun clitoris hielden om een orgasme te bereiken.

Zinloze feiten over seks

De gemiddelde lengte van een erecte menselijke penis is dertien centimeter.

De dikte van een superdun condoom: 0,05 mm. (De dikte van huishoudfolie: 0,012 mm.)

In Clinton, Oklahoma, is het verboden om te masturberen wanneer je twee mensen in een auto ziet vrijen.

Zinloze feiten over seks

Koude douches koelen een oververhit libido niet af. Integendeel, ze stimuleren de geslachtsdrift. Een Engels onderzoek, dat werd uitgevoerd om meer te weten te komen over trombose, wees uit dat koude douches goed waren voor de bloedcirculatie, de versterking van het immuunsysteem en een verhoging van de geslachtsdrift. Het koude water zorgde bij mannen voor een verhoging in het testosteronniveau en de vrouwen voor een verhoging in het oestrogeenniveau.

Hoteleigenaars in Hastings, Nebraska, zijn wettelijk verplicht om elke gast een schoon, wit nachthemd aan te bieden. Volgens de wet mogen stellen geen seks hebben tot ze dergelijke nachthemden dragen.

Zinloze feiten over seks

Aan het begin van de zestiende eeuw woonden er in Rome verhoudingsgewijs meer geregistreerde prostituees dan in Venetië. Rome had er 6800 op een totale bevolking van 90.000, Venetië had er 11.654 op een totale bevolking van 300.000.

Als je kijkt hoe vaak stellen tegenwoordig vrijen, zou een gemiddeld Nederlands paar meer dan vier jaar nodig hebben om de 529 posities in de Kama Sutra uit te proberen.

Zinloze feiten over seks

Volgens een medisch onderzoek in Pennsylvania verbetert het immuunsysteem van mensen die een of twee keer per week seks hebben.

Playboy was het eerste blootblad voor de grote massa.

Het gemiddelde aantal erecties tijdens een nacht: negen.

Zinloze feiten over seks

Oculolinctus is een fetisj waarbij mensen opgewonden raken van het likken van hun partners oogbol. Een waarschuwing voor wie dit wil proberen: orale herpes kan op het oog worden overgebracht.

Volgens een wet in Liberty Corner, New Jersey, kunnen paren die vrijen in de auto gevangenisstraf krijgen als ze tijdens de daad per ongeluk op de claxon drukken.

Zinloze feiten over seks

Sperma leeft tweeëneenhalve maand (gerekend vanaf het moment van ontstaan tot ejaculatie).

Van condooms weten we dat ze al rond 1660 in Europa werden gebruikt.

Seks met uitwerpselen heet scat.

Zinloze feiten over seks

Een woeste neushoorn liet een groep bezoekers van een Brits safaripark een sterk staaltje van ongerepte natuur zien toen hij seks probeerde te bedrijven met hun auto.

Sharka, een witte neushoorn van 2000 kilo, werd verliefd op Dave Alsops auto toen Alsop in het West Midland Safari Park met drie vrienden stilstond om foto's te maken van de paring tussen Sharka en zijn partner Trixie.

De twaalfjarige neushoorn probeerde de Renault Laguna van de zijkant te bestijgen, waarbij hij de deuren deukte en de zijspiegels afbrak. Toen Dave wegreed, zette het dier puffend de achtervolging in.

'Het was een flinke knaap, die overduidelijk erg opgewonden was,' vertelde Mr. Alsop. 'Hij kwam van opzij naar ons toe lopen. Het volgende moment begon hij op de auto te rijden en schommelde de hele Renault hevig heen en weer.'

Een woordvoerster van het park zegt: 'Neushoorns zijn niet zulke intelligente dieren.' Sharka was wel erg populair bij de vrouwelijke neushoorns en had in de afgelopen vijf jaar twee jonkies verwekt.

'Deze jongen heeft nogal een reputatie, en blijkbaar maakte hij die weer waar,' voegde de vrouw eraan toe.

Zinloze feiten over seks

Sperma bevat sporen van meer dan 30 elementen, waaronder fructose, ascorbinezuur, cholesterol, creatine, citroenzuur, melkzuur, stikstof, vitamine B12 en diverse zouten en enzymen.

Tijdens de lunchpauzes in Carlsbad, New Mexico, mogen stellen alleen in een geparkeerde auto vrijen als die gordijntjes heeft.

Zinloze feiten over seks

30 procent van de vrouwen van boven de 80 heeft nog steeds geslachtsgemeenschap met hun echtgenoten of vriendjes.

Kalkoenen kunnen zich zonder seks voortplanten. Dit verschijnsel heet parthenogenese.

Zinloze feiten over seks

Een vibrerend seksspeeltje werd aangezien voor een bom. Het hele vliegveld Mackay Airport in Queensland, Australië, werd daardoor een uur lang afgezet.

Cafetariamanager Lynne Bryant was degene die alarm sloeg. Haar personeel maakte de tafels schoon toen ze uit een vuilnisbak een vreemd zoemend geluid hoorden komen.

Lynne Bryant zei: `Het was best eng dat de vuilnisbak heel hard begon te zoemen. We hebben de bewaking gebeld en vervolgens werd iedereen geëvacueerd, zodat ze de zaak konden onderzoeken.'

De woordvoerster van de politie zei: 'Op dat moment zouden er eigenlijk twee vliegtuigen moeten landen, maar het vliegveld regelde dat de passagiers hun bagage ergens anders konden ophalen.'

Terwijl de politie er experts bij haalde, meldde de eigenaar van het zoemende pakketje zich. De niet nader bij naam genoemde passagier had zijn tas na het eten laten staan.

Zinloze feiten over seks

Sylvester Stallone speelde in de pornofilm The Italian Stallion.

Sacofricose betekent een gat in je broekzak maken om in het openbaar redelijk onopvallend te kunnen masturberen.

Onder seksueel actieve volwassenen komen SOA's het minst voor bij lesbiennes.

Zinloze feiten over seks

De chemische stof fenylethylamine, die verantwoordelijk is voor de extatische pieken bij liefde en seksuele aantrekkingskracht, zit ook in chocola.

Spermabanken bewaren hun donorzaad bij een temperatuur van -196 graden Celsius. Bij die temperatuur kan het sperma onbeperkt bewaard worden.

Zinloze feiten over seks

In Nevada wordt seks zonder condoom als illegaal beschouwd.

Vrouwen met een masterstitel hebben twee keer zoveel interesse in een avontuurtje voor een nacht als vrouwen die alleen maar een bacheloropleiding hebben gedaan.

De seksuele handeling die heteroseksuele mannen het lekkerst vinden, is fellatio.

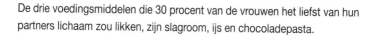

Zinloze feiten over seks

De drie voedingsmiddelen die 30 procent van de vrouwen het liefst van hun partners lichaam zou likken, zijn slagroom, ijs en chocoladepasta.

Volgens een Amerikaans onderzoek vond 50 procent van de mensen het beter om als maagd het huwelijk in te gaan, en vond 39 procent het beter om een paar partners te hebben gehad voordat je trouwt.

Slangen hebben twee geslachtsorganen.

Hybristofilie betekent dat je opgewonden raakt van mensen die misdaden hebben gepleegd.

In Cleveland, Ohio, mogen vrouwen geen lakschoenen dragen.

Zinloze feiten over seks

De grootste mannelijke penis die ooit is gemeten, was 28 centimeter lang.

Volgens het Kinsey Institute masturberen mensen met een kantoorbaan vaker dan mensen die lager geschoold werk doen.

In de staat Washington er is een wet die het onder alle omstandigheden (waaronder de huwelijksnacht) verbiedt om seks met een maagd te hebben.

Zinloze feiten over seks

In Santa Cruz, Bolivia, is het voor mannen verboden om tegelijkertijd seks met een vrouw en haar dochter te hebben.

De paringsdaad van muggen vindt plaats in de lucht en duurt slechts twee seconden.

Axillisme betekent dat je een oksel voor seks gebruikt.

Zinloze feiten over seks

Wegens het in de rechtszaal gebruiken van een seksspeeltje, een penispomp, hangt een Amerikaanse rechter ontslag boven het hoofd.

De zevenenvijftigjarige rechter, Donald Thompson, zat met zijn handen onder zijn toga te rommelen.

Een politieman zegt dat hij de rechter pompende bewegingen tussen zijn benen zag maken. Andere getuigen zeggen dat ze sissende geluiden hoorden.

Griffier Lisa Foster zegt dat de rechter zo onhandig bezig was dat ze minstens twintig keer zijn penis zag.

De rechter uit Creek County, Oklahoma, zegt dat hij het speeltje, dat wordt gebruikt om de penis te verlengen, 'voor de grap cadeau had gekregen' van een vriend.

Het openbaar ministerie wil dat Donald Thompson wegens zijn gedrag wordt ontslagen.

Waarschijnlijk kan deze rechter beter ander werk zoeken. Een baan waarbij hij een naamplaatje en een bezem krijgt, past waarschijnlijk beter bij hem.

Zinloze feiten over seks

In Cali, Colombia, mag een vrouw alleen maar met haar eigen echtgenoot vrijen, en moet haar moeder de eerste keer als getuige bij de daad aanwezig zijn.

Mannelijke teken hebben geen penis. In plaats daarvan gebruiken ze hun neus om aan de vagina van de vrouwtjes te snuffelen. Als ze de opening daarmee groot genoeg hebben gemaakt, draaien ze zich om en deponeren hun zaad.

Zinloze feiten over seks

Volgens het tijdschrift Penthouse klagen vrouwen vaker over te weinig seks dan mannen.

In Florida is het verboden om seks met een stekelvarken te hebben.

Zinloze feiten over seks

In 1889 werd er op Engelse scholen voor het eerst seksuele voorlichting gegeven.

Bij geen enkele zoogdierensoort komt zoveel homoseksualiteit voor als bij mannetjesvleermuizen.

Volgens de Kama Sutra kunnen mannen hun erectie met een mengeling van kamelenmelk en honing permanent in stand houden.

Zinloze feiten over seks

In de Amerikaanse hoofdstad Washington is de missionarishouding de enige acceptabele houding. Elke andere houding wordt als illegaal beschouwd.

In Nederland kunnen seksverslaafden via Buro Seksverslaving therapie en andere hulp krijgen.

Zinloze feiten over seks

Een parthenoloog houdt zich bezig met de studie naar maagden en maagdelijkheid.

In Londen is het strafbaar om op een geparkeerde motorfiets seks te bedrijven.

In het Engelse Birmingham is het verboden om na zonsondergang op de trappen van een kerk de liefde te bedrijven.

Zinloze feiten over seks

44 procent van alle volwassenen zegt tevreden te zijn over zijn seksleven, en 45 zegt dat hij op seksueel gebied niet snel iets raar vindt.

Mannen zijn minder tevreden over hoe vaak ze het doen dan vrouwen. 41 procent zou het vaker willen doen, bij de vrouwen is dat 29 procent.

39 procent van alle mensen wil graag geprikkeld worden en zoekt in bed naar nieuwe ideeën, en slechts 7 procent vindt zijn seksleven eentonig.

De Belgen (57 procent) en de Polen (56 procent) zijn het meest tevreden over hun seksleven. Het minst tevreden zijn de Chinezen (22 procent) en de Japanners (24 procent).

Scandinaviërs morren het meest over de frequentie. Van de Noren wil 53 procent vaker seks, van de Zweden 52 procent.

Zinloze feiten over seks

54 procent van de mannen zegt minstens één keer per dag te masturberen.

In Norfolk, Virginia, mag geen enkele vrouw de deur uit zonder korset.

Geurtjes waardoor de bloedstroom naar de penis toeneemt: lavendel, drop, chocola, donuts en pompoentaart.

Zinloze feiten over seks

In Kingsville, Texas, is er een wet die het twee varkens verbiedt om op het grondgebied van de plaatselijke luchthaven te paren.

De meeste Amerikanen verliezen hun maagdelijkheid in juni. Dat komt vast door alle bruiloften en eindexamenfeesten in die maand.

Zinloze feiten over seks

Lijders aan de zeldzame aandoening micropenis hebben een bijzonder kleine penis, die erect tussen de twee en tweeënhalve centimeter lang is.

De technische term voor de missionarishouding is Venus observa.

De langste kleine schaamlippen: er zijn stammen in Afrika waar de vrouwen hun schaamlippen oprekken tot ze ruim twintig centimeter lang zijn.

Zinloze feiten over seks

In Tremonton, Utah, mag een vrouw volgens de wet geen seks met een man hebben als ze zich in een ambulance bevindt. Als ze daarvoor wordt opgepakt, wordt haar naam ook nog eens in de plaatselijke krant gepubliceerd. De man wordt niet gestraft.

Het Center for Marital and Sexual Studies in Long Beach, Californië, heeft gemeten hoe vaak mensen in een uur konden klaarkomen. Het record was 134 keer voor een vrouw en zestien keer voor een man.

Zinloze feiten over seks

Gemiddeld besteedt een mens twee weken van zijn leven aan kussen.

In Connorsville, Wisconsin, mag een man tijdens het orgasme van zijn vrouwelijke bedpartner geen wapen afvuren.

Het is normaal als een man met een erectie wakker wordt.

Zinloze feiten over seks

In het Engelse Liverpool mogen vrouwen topless in een winkel staan, maar alleen als ze tropische vissen verkopen.

Gemiddeld duurt een vrijpartij vijftien minuten.

De autobiografie van pornoacteur John Holmes heet Porn King.

Zinloze feiten over seks

In Bakersfield, Californië, moet iedereen die seks met de duivel heeft een condoom dragen.

In Frankrijk kan kunst veel zonden bedekken. In de achttiende eeuw konden Franse prostituees een straf ontlopen als ze bij een operagezelschap gingen.

Tijdens zijn leven ejaculeert een man ongeveer zeventien liter sperma met een half biljoen zaadcellen.

Zinloze feiten over seks

Een kleine slappe penis groeit bij een erectie naar verhouding meer dan een grote slappe penis.

De Aziatische Hunnen straften mannelijke verkrachters en overspeligen door hen te castreren. Vrouwen die overspel pleegden, werden slechts in tweeën gehakt.

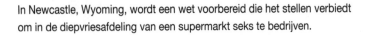

Zinloze feiten over seks

In Newcastle, Wyoming, wordt een wet voorbereid die het stellen verbiedt om in de diepvriesafdeling van een supermarkt seks te bedrijven.

In het originele sprookje van Grimm verkracht de prins Doornroosje tijdens haar slaap en gaat hij weg voordat ze wakker wordt.

Zinloze feiten over seks

Ithyphallofobie is de angst om een erecte penis te zien, te hebben of eraan te denken.

www.xxxchurch.com is de naam van een christelijke website tegen porno.

Het gebergte Grand Teton in Wyoming betekent letterlijk Grote Tieten.

Zinloze feiten over seks

In Illinois bestaat een wet tegen een erectie in het openbaar en tegen naakt dansen. Het verbod tegen een erectie in het openbaar is nooit aangevochten bij het hooggerechtshof, maar het verbod tegen naakt dansen wel.

Van alle primaten heeft de mens de grootste en dikste penis.

De gemiddelde levensduur van een latex condoom is ongeveer twee jaar.

Zinloze feiten over seks

Tot 1990 hadden de volgende Amerikaanse staten nog wetten die het hetero's verbood om orale en anale seks te hebben en dildo's te gebruiken: Idaho, Utah, Arizona, Oklahoma, Minnesota, Louisiana, Mississippi, Alabama, Georgia, Florida, South Carolina, North Carolina, Virginia, Maryland, Massachusetts, Rhode Island en Washington D.C.

Het is nog niet eens zo lang geleden dat een man in Georgia tot vijf jaar cel werd veroordeeld wegens orale seks. Met zijn vrouw. Met haar toestemming. In hun eigen huis. Het schijnt dat zijn veroordeling voor de andere gevangenen veel hilariteit opleverde.

Zinloze feiten over seks

In Frans Guyana is het verboden om te masturberen 'wegens het gevaar voor degene die masturbeert'. Volgens de wet is het bewezen dat masturberen 'een van de oorzaken van krankzinnigheid' is.

Hoe vaker je vrijt, hoe vaker het je wordt aangeboden. Iemand die seksueel actief is, produceert meer feromonen. Deze subtiele chemische geurstoffen winden de andere sekse vreselijk op!

Zinloze feiten over seks

Anasteemafilie betekent dat je je tot iemand aangetrokken voelt wegens het verschil in lengte.

Met seks verbrand je 360 calorieën per uur.

Geribbelde condooms zijn door een Tibetaanse monnik uitgevonden.

Zinloze feiten over seks

Volgens een wet in Doha, Qatar, moet een naakte vrouw die tijdens het baden of omkleden door een man wordt verrast eerst haar gezicht en dan pas haar lichaam bedekken.

Blanke vrouwen en vrouwen met een universitaire opleiding zeiden in een onderzoek meer open te staan voor anale seks dan vrouwen zonder universitaire opleiding.

Zinloze feiten over seks

In de stad Alexandria, Minnesota, mag een man niet met zijn vrouw vrijen als hij naar knoflook, sardientjes of uien ruikt. Als zijn vrouw het eist, moet hij volgens de wet zijn tanden gaan poetsen.

In het Poolse Krakau is het niet alleen verboden om seks met dieren te hebben, maar worden overtreders na de derde keer door het hoofd geschoten.

Zinloze feiten over seks

De Grieken beeldden Cupido oorspronkelijk af als een knappe jongeman, wiens naakte lichaam de verpersoonlijking van de lichamelijke liefde voorstelde.

Vrouwelijke transseksuelen die ervoor kiezen om een man te worden, schijnen na hun operatie gelukkiger te zijn dan mannelijke transseksuelen die ervoor kiezen om een vrouw te worden.

Zinloze feiten over seks

Volgens een enquête onder seksshops is kers de favoriete smaak bij eetbaar ondergoed.

Een op de 200 vrouwen wordt geboren met een extra tepel.

Iemand heeft ooit gemeten dat twee ratelslangen 22 uur en drie kwartier met elkaar aan het paren waren.

Zinloze feiten over seks

Rustig en ontspannen vrijen vermindert de kans op huidontstekingen, uitslag en geïrriteerde plekken. Zweet maakt de poriën schoon en laat je huid stralen.

Wie elke dag kust, heeft minder kans op gaatjes in zijn gebit. Tijdens het kussen produceren we speeksel, waardoor voedselresten van onze tanden worden gespoeld, schadelijke zuuraanvallen worden geneutraliseerd en er minder plaque ontstaat.

Zinloze feiten over seks

Biochemisch gezien is seks hetzelfde als grote hoeveelheden chocola eten.

In de negentiende eeuw dacht men daadwerkelijk dat volkoren koekjes seksuele lust en begeerte konden afremmen.

85 procent van alle mannen die tijdens geslachtsgemeenschap sterft, blijkt zijn echtgenote te bedriegen.

Zinloze feiten over seks

Siderodromofilie: opgewonden raken van het rijden in treinen.

Egyptenaren stopten stenen in hun vagina om te voorkomen dat ze zwanger werden. De stenen werkten min of meer hetzelfde als onze moderne spiraaltjes en voorkwamen dat een bevruchte eicel zich kon innestelen.

Zinloze feiten over seks

Nadat ze na acht jaar huwelijk nog geen kinderen hadden gekregen, lieten een dertigjarige Duitse vrouw en haar man zich in een kliniek onderzoeken. Hun onvruchtbaarheid bleek een opvallende oorzaak te hebben.

Onderzoeken wezen uit dat er geen lichamelijke reden was waarom ze geen kinderen konden krijgen. Toen de artsen in de kliniek vroegen hoe vaak het stel gemeenschap had, keken ze verbaasd en vroegen ze: 'Hoe bedoelt u?'

Het bleek niet om achterlijke mensen te gaan, maar om een stel dat in een streng religieuze omgeving was opgevoed en simpelweg niet wist hoe de mens zich voortplant.

Inmiddels is alles over de bloemetjes en de bijtjes uitgelegd, dus met een beetje geluk en ijver kunnen deze twee mensen een kind krijgen.

Zinloze feiten over seks

De eed van een Romeinse Vestaalse maagd gold voor 30 jaar. Als ze binnen die tijd met iemand seks had, werd ze voor straf levend begraven.

In Alabama is het voor een man verboden om 'een kuise vrouw met smoesjes, bedrog, listen, vleierij of de belofte van een huwelijk te verleiden'.

Zinloze feiten over seks

44 procent van alle volwassenen heeft wel eens een avontuurtje voor een nacht beleefd. 22 procent beweert een buitenechtelijke affaire te hebben gehad.

23 procent heeft wel eens een vibrator gebruikt en 20 procent heeft maskers, blinddoeken of andere vormen van bondage gebruikt.

Vrouwen gebruiken tijdens seks vaker vibrators dan mannen (24 tegen 21 procent).

De Turken staan boven aan de lijst met buitenechtelijke affaires (58 procent). Als het gaat om avontuurtjes voor een nacht, gaan de Noren (70 procent), Finnen, Nieuw-Zeelanders en Zweden (64 procent) aan de leiding.

Seks met vibrators komt het meeste voor in Australië (46 procent) en de Verenigde Staten (45 procent).

Zinloze feiten over seks

In 2004 kwam er een seksspeeltje op de markt waarvoor geen batterijen nodig zijn: het kan in een USB-poort worden gestoken.

41 procent van de mannen zegt dat hij zich schuldig voelt dat hij zo vaak masturbeert.

In de tijd van het Romeinse Rijk straften de Germaanse Teutonen prostituees door hen in uitwerpselen te smoren.

Zinloze feiten over seks

De Romeinen verpletterden de ballen van een verkrachter tussen twee
stenen.

Elk jaar worden er op de wereld ongeveer 8,5 miljard condooms
geproduceerd.

Zinloze feiten over seks

Seks is een van de veiligste sporten ter wereld (als je een condoom gebruikt). Je gebruikt en traint er bijna elke spier in je lichaam mee.

Seks is een zeer probaat middel tegen een milde depressie. Er komen endorfinen door vrij, die door de bloedsomloop worden verspreid en een geluksgevoel veroorzaken.

Zinloze feiten over seks

Het eerste schoenmerk dat een pornoster inhuurde voor reclamedoeleinden was Pony.

In islamitische landen in het Midden-Oosten is het niet alleen een zonde, maar ook verboden om een lam te eten waarmee je seks hebt gehad.

Zinloze feiten over seks

Seks helpt tegen hoofdpijn. Door het vrijen kan de spanning die de bloedvaten in het brein vernauwt afnemen.

Japanse geisha's deden niet aan fellatio, omdat dat voor een ontwikkelde vrouw als vernederend werd beschouwd.

Zinloze feiten over seks

Volgens Amerikaanse privédetectives bedriegen blanken hun echtgenoten vaker dan welk ander ras dan ook. In een onderzoek naar 1722 gevallen van overspel ontdekten ze ook dat mannen het vaakst een scheve schaats reden in december, en dat vrouwen het liefst overspel pleegden in juli.

Een op de vijf mannen heeft er geen probleem mee om de vriendin van zijn beste vriend te verleiden, maar slechts een op de 30 vrouwen zou haar beste vriendin zoiets aandoen.

Zinloze feiten over seks

In Amerika kost het 100 dollar om een jaar condooms te gebruiken.

In Indiana zijn snorren verboden als de drager 'de neiging heeft om vaak andere mensen te kussen'.

Veel oude seksuele posities zijn door de meeste mensen lichamelijk niet uit te voeren.

Zinloze feiten over seks

0,3 procent van alle mannen is zo welgeschapen dat hij zichzelf door middel van fellatio een orgasme kan bezorgen.

De eerste officiële sterilisatie van een man vond plaats in 1893.

Geen enkel zoogdier paart zo snel als de chimpansee: gemiddeld drie seconden.

Zinloze feiten over seks

Amalgatomafilie is de seksuele aantrekkingskracht tot standbeelden of etalagepoppen.

De eerste homoseksuele pornofilms werden aan het begin van de twintigste eeuw gemaakt.

Zinloze feiten over seks

Het woord fuck is in feite een letterwoord. Het dateert uit de tijd dat Engeland door een combinatie van branden, oorlog en ziekte onderbevolkt was en er op bevel van de koning geneukt moest worden om het bevolkingsaantal weer op peil te brengen.

De order 'Fornicate Under Command of the King' (hoereren op bevel van de koning) werd daarna in het dagelijks taalgebruik opgenomen.

Zinloze feiten over seks

Veertien procent van alle Amerikanen heeft minstens één keer naakt met iemand van het andere geslacht gezwommen.

In het oude Griekenland lieten vrouwen hun vagina zien om stormen op zee af te wenden.

Twee van de belangrijkste oorzaken van tijdelijke impotentie zijn strakke broeken en langdurig roken.

Zinloze feiten over seks

Vroeger was het erg belangrijk om tijdens je huwelijksnacht maagd te zijn. Om te bewijzen dat de bruid nog maagd was, werd het bebloede beddenlaken na de ontmaagding aan iedereen getoond.

In China mogen vrouwen niet naakt door een hotelkamer lopen. Een vrouw mag alleen maar naakt in de badkamer staan.

Zinloze feiten over seks

Tijdens de jaren twintig van de vorige eeuw dacht men dat je door jazzmuziek permanent al je seksuele remmingen kwijt kon raken. Daarom was de muziek in veel steden verboden. Een bedrijf verkocht aan de hoogste kringen zelfs jazzbestendige meubels.

Volgens het Kinsey Institute heeft de helft van de mannen die op een boerderij zijn grootgebracht wel eens seksueel contact met een dier gehad.

Zinloze feiten over seks

Het Egyptische Ankh is een symbool dat de mannelijke en vrouwelijke geslachtsorganen verbeeldt.

Het eerste echtpaar dat op primetime in bed op televisie te zien was, waren Fred en Wilma Flintstone.

Zinloze feiten over seks

De penis van een volwassen gorilla is slechts vijf centimeter lang.

60 procent van alle vrouwen vond hun eerste sekservaring niet prettig.

Zinloze feiten over seks

Volgens recente onderzoeken worden mannen in bed vaker vastgebonden dan vrouwen.

De Mamba's op de Nieuwe Hebriden wikkelen hun penissen in meters stof, waardoor ze eruitzien alsof ze ruim 40 centimeter lang zijn.

Zinloze feiten over seks

De penis van een libelle heeft de vorm van een spade en kan het zaad van een mannelijke rivaal naar buiten scheppen.

Als je als vrouw in Paphos, Cyprus, bij de kerk van Aphrodite hoorde, moest je voor je huwelijk met een vreemdeling naar bed.

Zinloze feiten over seks

In Horny, North Carolina, zijn alle bordelen verboden.

Een orgasme duurt (zowel voor vrouwen als voor mannen) gemiddeld tussen de drie en tien seconden, waarbij er elke 0,8 seconde spieren samentrekken.

In het middeleeuwse Frankrijk moesten overspelige echtgenotes naakt door de stad een kip opjagen.

Zinloze feiten over seks

In het oude Griekenland en Rome werden dildo's gemaakt van hoorns, goud, zilver, ivoor en glas.

Heel af en toe komt het voor dat menstruatiekramp een orgasme opwekt.

Over de hele wereld zijn de drie populairste sekshulpmiddelen pornografie (41 procent), massage-olie (31 procent) en glijmiddelen (30 procent).

22 procent van alle volwassenen heeft wel eens een vibrator gebruikt. Vibrators zijn populairder bij vrouwen dan bij mannen (26 procent tegen 19 procent).

33 procent van de vrouwen gebruikt wel eens massage-olie om de seks spannender te maken, maar mannen prefereren porno (49 procent).

In Thailand wordt de meeste pornografie gebruikt (62 procent). Glijmiddelen zijn het populairst in Nieuw-Zeeland (60 procent), en geribbelde condooms hebben de goedkeuring van de helft van de Bulgaren.

Zinloze feiten over seks

Casanova beweerde dat hij op een dag twaalf keer met dezelfde vrouw naar bed was geweest.

In de staat Texas is het voor mannen verboden om samen orale en/of anale seks te hebben. Dat wordt beschouwd als sodomie. Tussen mannen en vrouwen zijn deze praktijken wel toegestaan.

Zinloze feiten over seks

De spinnensoort zwarte weduwe eet haar partner tijdens of na de paringsdaad op.

Naaktheid werd in het oude Griekenland heel gewoon gevonden, maar het was wel onbehoorlijk als een man zijn erectie liet zien.

Zinloze feiten over seks

Toen het christendom nog niet zo lang bestond, mochten stellen van de kerk niet op woensdag en vrijdag vrijen. Op zondag mocht het natuurlijk al helemaal niet.

Mensen delen een seksuele gewoonte met dolfijnen: groepsseks.

Gemiddeld denken mannen elke zeven seconden aan seks.

Zinloze feiten over seks

Als een stier één keer ejaculeert, kunnen met zijn zaad 300 koeien worden bevrucht.

Trampling is op je partner gaan staan terwijl hij of zij klaarkomt.

De eerste Europese pornofilm heette Am Abend.

Zinloze feiten over seks

In Pompeï bestond een speciale wet voor prostituees. Om te mogen werken, moesten ze hun haren blauw, rood of geel verven.

Cleopatra knutselde haar eigen pessarium van kamelenpoep.

Vrouwen die romannetjes lezen, vrijen twee keer zo vaak als vrouwen die dat niet doen.

Zinloze feiten over seks

6000 jaar geleden waren de Egyptenaren de eersten die seksuele vergrijpen bestraften met castratie. Een veroordeelde verkrachter werd volledig gecastreerd. Bij een overspelige vrouw werd de neus afgesneden, met de gedachte dat ze zonder neus niet meer zo snel iemand zou vinden die het zondige bed met haar wilde delen.

Dendrofilie betekent dat je je seksueel aangetrokken voelt tot bomen.

Zinloze feiten over seks

Als je tijdens de middeleeuwen werd veroordeeld wegens bestialiteit, werd je samen met de andere schuldige partij op de brandstapel gezet.

70 procent van alle vrouwen verkiest chocola boven seks. (Uitkomst van een enquête in een vrouwenblad uit 1995.)

Iemand die zowel mannelijke als vrouwelijke geslachtskenmerken heeft, heet een hermafrodiet.

Zinloze feiten over seks

Seks is het veiligste slaapmiddel ter wereld. Het is tien keer zo effectief als valium.

Een van de redenen waarom mannelijke herten hun geweien tegen een boom of over de grond wrijven is masturbatie.

Zinloze feiten over seks

Konijnen zijn het symbool van vruchtbaarheid omdat ze zich zo snel kunnen vermenigvuldigen.

Het hymen (maagdenvlies) is genoemd naar de Griekse god Hymenaeus, de god van het huwelijk en de bruiloften.

Zinloze feiten over seks

In het oude Israël werden overspelige mensen gestenigd. Zo ver gingen de oude Grieken niet, maar ze straften overspelige mannen toch op een onaangename manier: hun schaamhaar werd verwijderd en er werd een grote radijs in hun achterwerk gepropt.

In Nepal, Bangladesh en Macao is het verboden om naar films met liefdesscènes of geslachtsdelen te kijken. Als de acteurs in een film uit een van deze drie landen afkomstig zijn, mag er in de film ook niet gekust worden.

Zinloze feiten over seks

Volgens de Libanese wet mogen mannen seks met dieren hebben, maar het moeten vrouwelijke dieren zijn. (Er staat niet bij of de dieren ook een vergunning nodig hebben.) Seksuele betrekkingen met een mannelijk dier zijn streng verboden.

In Merryville, Missouri, mogen vrouwen geen korsetten dragen omdat 'normale, gezonde Amerikaanse mannen het recht hebben om naar de natuurlijke rondingen van een jonge vrouw te kijken'.

Zinloze feiten over seks

Over het algemeen krijgen dieren geen SOA's, al kunnen otters wel herpes krijgen.

Het aantal orgasmes dat een vruchtbare vrouw tijdens haar slaap heeft, neemt toe naarmate ze ouder wordt.

Zinloze feiten over seks

40 procent van alle vrouwen zegt tijdens een droom over seks wel eens een orgasme te hebben gehad. Bij mannen is dat 80 procent.

Cupido was oorspronkelijk naakt, maar in het Victoriaanse tijdperk kreeg hij op afbeeldingen een rokje aan.

Zinloze feiten over seks

In de Verenigde Staten is het overal verboden om levende, bedreigde diersoorten in het openbaar of privé en op shows of tentoonstellingen seks te laten hebben met een andere diersoort. De enige uitzondering daarop zijn insecten.

In Mississippi is SM verboden. 'Afbeeldingen of beschrijvingen van mishandeling en/of marteling door/op een persoon die naakt is, onderkleding draagt, of voor seksuele doeleinden in een bizar of onthullend kostuum is gehuld, zijn verboden'.

Zinloze feiten over seks

Gemiddeld heeft 20 procent van de samenwonende vrouwen nog een
tweede sekspartner.

Onderzoek heeft uitgewezen dat het moeilijker is om overtuigend te liegen
tegen iemand die je seksueel aantrekkelijk vindt.

Zinloze feiten over seks

Tijdens een orgasme slaat een hart gemiddeld 140 keer per minuut.

Koala's, leguanen en komodovaranen hebben allemaal gevorkte penissen (in tweeën gespleten).

Uit onderzoeken is gebleken dat mannen bijna elke keer dat ze dromen seksueel opgewonden raken.

Zinloze feiten over seks

In Oxford, Ohio, is het voor vrouwen verboden om hun kleren uit te trekken als ze voor een foto van een man staan.

Vrouwen zeggen dat ze billen het aantrekkelijkste deel van het mannelijk lichaam vinden.

De penis van een varken heeft de vorm van een kurkentrekker.

Zinloze feiten over seks

Een interessant stukje uit het wetboek van Kentucky: 'Vrouwen mogen zich in deze staat niet in badpak op een snelweg bevinden, tenzij ze door minstens twee politiemensen worden geëscorteerd of gewapend zijn met een knuppel.'

In autostad Detroit mogen stellen alleen in een geparkeerde auto vrijen als die op hun eigen terrein staat.

Zinloze feiten over seks

In Nevada mag niemand van de wetgevende macht zijn werk in een
peniskostuum doen.

Het oudste bekende voorbehoedmiddel is krokodillenpoep, dat door de
Egyptenaren al 2000 jaar v.Chr. werd gebruikt. Toen ze doorkregen dat het
niet werkte, gingen ze olifantenpoep gebruiken.

Zinloze feiten over seks

Hamsters kunnen 75 keer per dag seks hebben.

In Egypte mag een vrouw niet buikdansen als ze haar navel niet met gaas heeft bedekt.

Zinloze feiten over seks

Vier procent van de Amerikaanse vrouwen heeft geen ondergoed.

Stellen die elkaar langer dan een minuut in de ogen kijken, krijgen ruzie of gaan met elkaar naar bed, zegt een Amerikaans onderzoek.

Zinloze feiten over seks

In Romboch, Virginia, is het verboden om seksuele handelingen te verrichten met het licht aan.

De sterkste spier in ons lichaam is de tong.

Onderzoekers van Harvard Medical School hebben ontdekt dat slechts één procent van alle hartaanvallen wordt getriggerd door seks. 10 procent wordt veroorzaakt door uit bed springen.

Zinloze feiten over seks

De grootste minnaar ter wereld was koning Mongut van Siam, die 9000 vrouwen had. Voordat hij aan syfilis stierf, heeft hij gezegd dat hij alleen van de eerste 700 hield.

Mannen van de Caramoja-stam in het noorden van Oeganda binden gewichten aan hun penis om hem te verlengen. Soms worden de penissen zo lang dat de mannen er letterlijk een knoop in moeten leggen.

Zinloze feiten over seks

Over de hele wereld gezien hebben mensen gemiddeld 103 keer seks per jaar, waarbij mannen iets vaker seks hebben (104 keer) dan vrouwen (101 keer).

Mensen tussen de 35 en 44 doen het het vaakst: 112 keer. De leeftijdsgroep tussen de zestien en twintig doet het 90 keer, en de groep tussen de 25 en 34 doet het 108 keer.

Eén op de vijf volwassenen heeft drie tot vier keer seks per week, en een op de twintig heeft elke dag seks.

De Grieken voeren de lijst aan met 138 keer per jaar, op de voet gevolgd door de Kroaten (134 keer), bewoners van Servië en Montenegro (128 keer) en de Bulgaren (127 keer).

Japanners doen het het minst, met slechts 45 keer per jaar. Andere landen waar niet veel wordt gevreeën zijn Singapore (73 keer), India (75 keer) en Indonesië (77 keer).

Zinloze feiten over seks

Over het algemeen verandert de smaak van sperma door wat een man eet.
- Sommige mensen zeggen dat alkalische gerechten als vis en sommige vleessoorten voor een boterachtige of visachtige smaak zorgen.
- Zuivelproducten kunnen een vieze smaak veroorzaken.
- Sperma smaakt het smerigst als een man asperges heeft gegeten.
- Zuur fruit (als sinaasappels, mango's, kiwi, citroenen, grapefruit en limoenen) en alcohol (behalve gestookte sterke drank) geven sperma een plezierige, zoete smaak. Een biertje met een schijf limoen levert dus dubbel plezier op.

Zinloze feiten over seks

De kleinste menselijke penis ooit gemeten: 1,6 centimeter.

Een zaadcel van een muis is groter dan de zaadcel van een olifant.

De gemiddelde snelheid van een menselijke ejaculatie: 47,3 kilometer per uur. (De gemiddelde snelheid van een stadsbus: 42,3 kilometer per uur.)

Zinloze feiten over seks

Volgens een onderzoek heeft 56 procent van de werknemers wel eens seks op het werk gehad, en is het bureau van de baas de populairste plek daarvoor!

In Minnesota is het voor mannen verboden om seks met een levende vis te hebben. (Mogen vrouwen het wel?)

Zinloze feiten over seks

Hartstochtelijk kussen is verboden in Sorocaba, Brazilië.

Het gemiddeld aantal calorieën in een theelepeltje sperma: 7
(Het gemiddelde aantal calorieën in een blikje Dr. Pepper: 150)

Van alle lichaamssappen wordt sperma het meest in hotelkamers gevonden.

Zinloze feiten over seks

Bij rechtshandige mannen hangt de linkerbal meestal lager dan de rechter. Bij linkshandige mannen hangt de rechterbal lager.

Volgens het Kinsey Report (1953) was vijftien procent van alle vrouwen in staat om meerdere orgasmes achter elkaar te hebben.

Gemiddelde diepte van een vagina: tussen de acht en vijftien centimeter.

Zinloze feiten over seks

Elke dag hebben 200 miljoen stellen op de wereld seks, wat betekent dat er op elk moment ongeveer 2000 stellen vrijen.

Mensen en dolfijnen zijn de enige diersoorten die voor hun genoegen vrijen.

Zinloze feiten over seks

De straf voor masturbatie in Indonesië is onthoofding.

Het menselijk brein weet niet wat het verschil tussen niezen en een orgasme is.

Zinloze feiten over seks

In de Verenigde Staten is het voor personen onder de achttien verboden om voor een pornografisch tijdschrift, een pornofilm of een pornowebsite te poseren.

Toen Viagra op de markt kwam, meldden de managers van bordelen in Nevada dat hun klandizie met twintig procent 'omhoogschoot'.

Zinloze feiten over seks

35 procent van alle mannen is ontevreden over de lengte van zijn... je weet wel.

Oneirogmofobie is de angst voor natte dromen.

Het langste schaamhaar ooit gemeten: 71,12 centimeter.

Zinloze feiten over seks

Mannetjes- en vrouwtjesratten kunnen wel twintig keer per dag seks hebben.

Mannen zoeken op internet zes keer zo vaak naar seksueel expliciet materiaal als vrouwen.

Vrouwen die reageren op seksenquêtes in tijdschriften hebben vijf keer zoveel minnaars gehad als vrouwen die niet reageren.

Zinloze feiten over seks

Op internet zijn er vijf keer zoveel pornopagina's als gewone pagina's.

Nergens ter wereld worden zoveel condooms gebruikt als in Japan. Net als cosmetica worden ze door vrouwen aan de deur verkocht.

De meeste kalkoenen en giraffen zijn biseksueel.

Zinloze feiten over seks

Als oudere bedpartners doen of ze jonger zijn, noem je dat leeftijdsspel.

Als je een wapenfetisj hebt, simuleer je een penis met een vuurwapen.

Uit onderzoeken blijkt dat mannen vaker natte dromen hebben naarmate ze hoger zijn opgeleid. De reden daarvoor is niet bekend.

Zinloze feiten over seks

Mensen met een insectenmepfetisj noem je pletterfreaks.

Behalve de borsten en de schaamdelen is de binnenkant van de neus het enige lichaamsdeel dat tijdens seks opzwelt.

Exhibitionisten zijn meestal getrouwde mannen.

Zinloze feiten over seks

In het zuiden van de Verenigde Staten en het Midden-Oosten wordt het penisbot van een wasbeer als amulet gebruikt om de seksuele prestatie te verhogen, iemand de liefde te verklaren of geluk bij het gokken te krijgen. In dat laatste geval wordt het bot in een geldbiljet gewikkeld.

Het schijnt dat het penisbot van een wasbeer bijzonder groot is in verhouding tot de rest van zijn lichaam: het is even groot als dat van een beer.

Zinloze feiten over seks

De Amerikaanse fastfoodketen Taco Bell haalde zijn Chilito's van de menukaart en veranderde de naam in Chili Cheese Burrito toen bleek dat chilito in Spaanse straattaal een neerbuigend woord voor een kleine penis is.

Harry Stevens werd 's werelds oudste bruidegom toen hij op 3 december 1984 in het Caravilla Retirement Home in Wisconsin met Thelma Lucas trouwde. De bruidegom was 103, de bruid 84.

Zinloze feiten over seks

Volgens The Solitary Vice, een medisch boek dat in de jaren negentig van de negentiende eeuw uitkwam, eten vrouwen die masturberen vaak voedsel met mosterd en azijn.

De grootste borsten wogen bijna twintig kilo en hadden een omvang van 85 centimeter.

Zinloze feiten over seks

De plaats waar (behalve in de slaapkamer) het meest wordt gevreeën, is de auto (50 procent), gevolgd door toiletten (39 procent), de ouderslaapkamer (36 procent) en het park (31 procent).

56 procent van de mensen heeft seks op het werk gehad. Een op de tien zegt seks op school gehad te hebben, en twee procent heeft het in de lucht gedaan (de 'mile high club').

Iets meer dan eenderde (34 procent) van de mensen tussen de zestien en twintig doet het het liefst in de auto, vergeleken met 69 procent in de leeftijdsgroep tussen de 45 en 55 jaar.

82 procent van de Italianen heeft seks in de auto gehad. De Australiërs voeren de lijst aan van mensen die in het park hebben gevreeën (54 procent).

Amerikanen en Canadezen voeren de lijst aan van mensen die seks voor een camera hebben (allebei 21 procent), en 22 procent van de Turken heeft het buiten de lesuren op school gedaan.

Zinloze feiten over seks

Het woord penis komt uit het Latijn en betekent behalve mannelijk lid ook staart.

De klinische term voor een harig achterwerk is daysypgal.

Een pinguïn heeft maar één enkel orgasme per jaar.

Zinloze feiten over seks

Gemiddeld ejaculeert een man tijdens zijn leven 53 liter sperma. (De gemiddelde hoeveelheid water die nodig is om een bad te vullen: 132 liter.)

Anorgasmie is de medische term voor het onvermogen om klaar te komen.

In persverklaringen wordt vaak gezegd dat pornografie 'de technologie stimuleert'.

Zinloze feiten over seks

De eerste automatische vibrator werd uitgevonden in 1869 en liep op stoom. Hij werd gebruikt om vrouwenkwaaltjes te behandelen.

Volgens een oude legende had Cleopatra twee orgasmes per dag.

Zinloze feiten over seks

In 1886 werd melding gemaakt van een Franse vrouw die tien borsten had.

In de Verenigde Staten zijn honderdduizenden voorhuiden (die bij besnijdenissen verwijderd waren) aan laboratoria voor bio-onderzoek verkocht.

Volgens het Hite Report gebruiken vrouwen vooral kaarsen als hulpmiddel bij masturbatie.

Zinloze feiten over seks

In veel culturen wordt een ongetrouwde vrouw als maagd beschouwd, zelfs als ze prostituee is. Pas na haar huwelijk verliest ze haar maagdelijkheid.

De langst bekende verloving duurde volgens het Guinness Book of World Records 67 jaar. Het gelukkige paar trouwde uiteindelijk toen ze 82 waren!

De vagina en het oog zijn allebei organen die zichzelf schoonmaken.

Zinloze feiten over seks

Een neushoorn heeft een penis van zo'n 60 centimeter lang.

Vijftien jaar geleden was de gemiddelde behamaat van een Nederlandse vrouw 75B. Inmiddels is dat 75C.

Zinloze feiten over seks

Mensen, vissen en dolfijnen delen een seksuele gewoonte: fellatio.

De gemiddelde beha is ontworpen om slechts 180 dagen mee te gaan.

De eerste openlijke stripteasedans werd in 1894 in Parijs uitgevoerd.

Zinloze feiten over seks

Een afgevaardigde uit Oklahoma heeft ooit een wetsvoorstel gedaan waarin een man de gevaren van zwangerschap aan een vrouw moest uitleggen en haar schriftelijke toestemming moest hebben voordat hij met haar naar bed mocht. De wet werd niet aangenomen.

De meest succesvolle pornofilm aller tijden is Deep Throat. Volgens de FBI kostte het 25.000 dollar om de film te maken en heeft hij meer dan 600 miljoen dollar opgebracht.

Zinloze feiten over seks

Napoleons penis is voor 40.000 dollar aan een Amerikaanse uroloog verkocht.

Vroeger dacht men dat masturbatie tot blindheid, waanzin, plotseling overlijden en andere onplezierige zaken kon leiden. Tegenwoordig weten we dat er geen verband bestaat.

In Ames, Iowa, mag een man niet meer dan drie slokken bier nemen als hij met zijn vrouw in bed ligt.

In Harrisburg, Pennsylvania, bestaat een speciale wet over seksuele handelingen in de tolhokjes op de snelwegen. De wet verbiedt het vrouwen om in een tolhokje seks met een vrachtwagenchauffeur te hebben. (Over mannen wordt niet gesproken.) Vrouwen die deze wet overtreden, worden wegens 'onbetamelijk gedrag voor een werknemer' ontslagen. Mochten ze later hun baan terugkrijgen, dan hebben ze geen recht op achterstallig salaris.

Zinloze feiten over seks

De oude Grieken hadden bewondering voor een kleine, stevige penis en vonden een groot lid esthetisch onaantrekkelijk.

Volgens een bron zijn er rond de 1000 platte benamingen voor de vagina.

In de westerse wereld komen nergens zo weinig tienerzwangerschappen, abortussen en SOA's voor als in Nederland.

Zinloze feiten over seks

Gemiddeld besteedt iemand 20.160 minuten van zijn leven aan kussen.

Geen enkel vrouwtjesdier heeft zo'n grote vagina als de blauwe vinvis: tussen de een meter tachtig en twee meter veertig.

Zinloze feiten over seks

73 procent van de mannen is op zijn zeventigste nog potent.

Mannen van onder de 40 kunnen over het algemeen binnen tien seconden een erectie krijgen.

Een onderzoek onder mensen met huisdieren wees uit dat 66 procent hun dier tijdens het vrijen niet uit de slaapkamer zette.

Zinloze feiten over seks

In 1609 vond een zekere dokter Wecker in Bologna een lijk met twee penissen.

Mensen van de Hottentotstam hebben billen die tussen de 60 en 90 centimeter lang kunnen zijn.

Een oud Engels woord voor de geslachtsdaad is scrump. Ben Franklin noemde prostituees scrumpets.

Zinloze feiten over seks

Als mannen van de Walibri-stam in het midden van Australië elkaar begroeten, schudden ze elkaar de penis in plaats van de hand.

Het kost een zaadcel een uur om vijftien centimeter te zwemmen.

Zinloze feiten over seks

De romantische Canadese stekelvarkens kussen elkaar op de lippen.

Een orgasme helpt tegen menstruatiekramp, omdat de krachtige spiertrekkingen bloed en andere sappen uit de buurt van de pijnlijke organen verwijderen.

Experts beweren dat we gemiddeld zeven keer verliefd worden voordat we trouwen.

Zinloze feiten over seks

De moderne psychiatrische definitie van een nymfomane: een vrouw met een ziekelijk verhoogde geslachtsdrift die niet kan worden bevredigd, ongeacht het aantal orgasmes of partners dat de vrouw heeft gehad.

In Willowdale, Oregon, mogen mannen niet vloeken als ze seks hebben met hun vrouw.

Het langste gemeten orgasme: 43 seconden met 25 achtereenvolgende spiertrekkingen.

Zinloze feiten over seks

De tot nu toe oudste illustratie van een man die tijdens de geslachtsgemeenschap een condoom draagt, staat op de muur van een grot in Frankrijk geschilderd. De afbeelding is tussen de 12.000 en 15.000 jaar oud.

Veel vrijen kan een verstopte neus verhelpen. Seks is een natuurlijke antihistamine, die astma en hooikoorts kan bestrijden.

Zinloze feiten over seks

Acrotomofilie betekent seksuele aantrekking tot personen met een amputatie.

In het zeventiende-eeuwse Spanje was het vrouwen verboden om hun blote voeten aan iemand anders dan hun echtgenoot te tonen. Het was geen probleem als ze hun borsten toonden, maar voeten waren seksueel beladen en moesten in het bijzijn van andere mannen worden bedekt.

Medomalacufobie is de angst om een erectie te verliezen.

Zinloze feiten over seks

Pornoregisseur Gregory Hippolyte heeft een videoclip van Britney Spears geregisseerd.

Over het algemeen gaan huisvrouwen minder snel vreemd dan werkende vrouwen.

Zinloze feiten over seks

Seks is een schoonheidsmiddeltje. Uit wetenschappelijke onderzoeken blijkt dat vrouwen tijdens het vrijen het hormoon oestrogeen produceren, waardoor hun haar gaat glanzen en hun huid gladder wordt.

Als een man ejaculeert, kan zijn zaad tussen de 30 en 60 centimeter ver schieten.

In Cattle Creek, Colorado, mag geen enkel stel, ook al zijn ze getrouwd, de liefde bedrijven in een meer, rivier of stroom.

Zinloze feiten over seks

Een pornofilm die wordt gemaakt onder het mom van een documentaire of wetenschappelijke film heet in het Engels een white coater.

De baard van een man groeit het snelst wanneer hij verwacht seks te hebben.

Zinloze feiten over seks

Een vrouw die naar een rodeo gaat om een rodeocowboy te versieren, heet in het Engels een buckle bunny.

Claxonneren voor een pasgetrouwd stel is een oud bijgeloof dat voor goede seks moet zorgen.

Zinloze feiten over seks

Het woord seks is in 1382 bedacht.

In de staat Utah wordt seks met een dier niet als sodomie beschouwd en is het niet strafbaar – tenzij je er geld mee verdient.

Zinloze feiten over seks

Veertien procent van alle mannen heeft niet van zijn eerste seksuele ervaring genoten.

Australische vrouwen hebben tijdens hun eerste afspraakje vaker seks dan vrouwen van dezelfde leeftijd in de Verenigde Staten en Canada.

Zinloze feiten over seks

Een vrouwelijke wants heeft geen geslachtsopening. Om dit probleem op te lossen, gebruikt het mannetje zijn gekrulde penis om een vagina in het vrouwtje te boren.

Volgens het tijdschrift Playboy zeggen vrouwen tijdens het vrijen vaker geile dingen dan mannen.

In Newfoundland, Canada, is een plaats die Dildo heet.

Zinloze feiten over seks

Mensen die het leuk vinden om zwaarlijvige mannen en vrouwen te versieren, heten in het Engels chubby chasers.

Een mannelijke foetus kan tijdens de laatste drie maanden van de zwangerschap een erectie krijgen.

Zinloze feiten over seks

De G-plek is vernoemd naar dr. Ernest Grafenberg.

De wetenschap die het zoenen bestudeert, heet filematologie. Filemamanie is de dwang om te kussen, en iemand die een hekel heeft aan kussen, lijdt aan filematofobie.

tevens verkrijgbaar

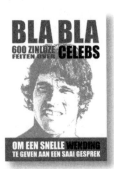

Wil je via e-mail op de hoogte
gehouden worden van de nieuwste
uitgaven van mo'media, ga dan naar
www.blablaboeken.nl
en schrijf je in voor de nieuwsbrief!